CB011725

V H M

As mais belas coisas do mundo

Valter Hugo Mãe

BIBLIOTECA AZUL

Por decisão do autor, esta edição mantém a grafia do texto original e não segue o Acordo Ortográfico de Língua Portuguesa (Decreto Legislativo nº 54, de 1995). Este livro não pode ser vendido em Portugal.

EDITOR-RESPONSÁVEL Lucas de Sena Lima
ASSISTENTE EDITORIAL Lara Berruezo
PREPARAÇÃO Huendel Viana
REVISÃO Amanda Zampieri e Thiago Lins
PROJETO GRÁFICO E CAPA Bloco Gráfico
DESIGNER ASSISTENTE Lais Ikoma
ILUSTRAÇÕES Nino Cais

CIP-BRASIL. CATALOGAÇÃO NA PUBLICAÇÃO
SINDICATO NACIONAL DOS EDITORES DE LIVROS, RJ

M16m
Mãe, Valter Hugo [1971–]
As mais belas coisas do mundo
Valter Hugo Mãe
1ª ed., Rio de Janeiro: Biblioteca Azul, 2019
ISBN 9788525068323

1. Contos portugueses. I. Título.

19-55880 CDD: P869.3

CDU: 82-34(469)

Bibliotecária – Vanessa Mafra Xavier Salgado CRB-7/6644

1ª edição, 2019 - 8ª reimpressão, 2024

Direitos exclusivos de edição em língua portuguesa, para o Brasil adquiridos por Editora Globo S.A.
Rua Marquês de Pombal, 25
20.230-240 – Rio de Janeiro – RJ – Brasil
www.globolivros.com.br

Este livro é dedicado aos meus avós,
António Alves e Maria dos Anjos Rodrigues,
Guilhermina Pimenta e Casimiro Lemos.

O meu avô sempre dizia que o melhor da vida haveria de ser ainda um mistério e que o importante era seguir procurando. Estar vivo é procurar, explicava.

Quase usava lupas e binóculos, mapas e ferramentas de escavação, igual a um detective cheio de trabalho e talentos. Tinha o ar de um caçador de tesouros e, de todo o modo, os seus olhos reluziam de uma riqueza profunda. Percebíamos isso no seu abraço. Eu dizia: dentro do abraço do avô. Porque ele se tornava uma casa inteira e acolhia. Abraçar assim, talvez porque sou magro e ainda pequeno, é para mim um mistério tremendo.

Eu sei que ele queria chamar a atenção para a importância de aprender. Explicava que aprender é mudar de conduta, fazer melhor. Quem sabe melhor e continua a cometer o mesmo erro não aprendeu nada, apenas acedeu à informação. Ele pensava que dispomos de informação suficiente para termos uma conduta mais cuidada. Elogiava insistentemente o cuidado.

Era um detective de interiores, queria dizer, inspeccionava sobretudo sentimentos. Quando perguntei porquê, ele respondeu que só assim se fala verdadeiramente acerca da felicidade. Para estudar o coração das pessoas é preciso um cuidado cirúrgico.

Estava constantemente a pedir-me que prestasse atenção. Se prestares atenção vês corações e podes tirar medidas à felicidade. Como se houvesse uma fita métrica para isso.

Propunha que desvendasse adivinhas e dilemas. Propunha que desvendasse labirínticas lógicas. Prometia um novo livro ou um caderno com marcadores amarelos e vermelhos, os meus favoritos. Prometia que, se eu descobrisse cada resposta, me daria outro abraço ainda mais apertado e sempre mais amigo. Por melhores que fossem os cadernos, o orgulho que sentia naqueles abraços era a vitória, eles eram a fita-métrica da sua amizade por mim.

De cada vez que a nossa cabeça resolve um problema aumentamos de tamanho. Podemos chegar a ser gigantes, cheios de lonjuras por dentro, dimensões distintas, países inteiros de ideias e coisas imaginárias.

Professores

Eu queria ser sagaz, ter perspicácia, estar sempre inspirado. O meu avô pedia que não me desiludisse. Quem se desilude morre por dentro. Dizia: é urgente viver encantado. O encanto é a única cura possível para a inevitável tristeza. Havia, às vezes, um momento em que discutíamos a tristeza. Era fundamental sabermos que aconteceria e que implicaria uma força maior.

Um dia, explicou, eu passaria a ser capaz de colocar as minhas próprias questões, ofício mais difícil ainda do que procurar respostas. Sozinho, saberia inventar um mistério até para mim mesmo. Como se eu fosse o lado de cá e o lado de lá das coisas. O lado de cá e o lado de lá do mundo. Um cristal com emissão de luz para todos os sentidos, para todas as direções.

Ponderávamos mistérios. O meu avô dizia que as evidências eram todas sustentadas por mistérios. Criava jogos para inventarmos perguntas só para ver se todas as perguntas teriam uma solução. As mais absurdas talvez estejam adiadas, só o futuro lhes saberá responder. Inventar perguntas é aprender. Quem não aprende tende a não saber perguntar. Muita gente não tem sequer vontade de ouvir. Fica do tamanho de uma ervilha, no que às ideias diz respeito.

Aprendi que o dinheiro tem valor em troca de muita coisa, mas muita coisa só tem valor se for de graça. Aprendi que o preço é quase sempre o lado corrompido do valor.

Vi com meus olhos que uma semente aninhada num bocado de algodão húmido inventa uma árvore e que a árvore inventa fruto e semente outra vez. O meu avô dizia que as sementes eram meninos de pedra que nasciam por um bocado de água. Como se fossem pedras com tanta sede que se tornavam capazes de inventar a vida só para poderem beber.

Escutei como os bichos domésticos podem querer falar. Habituados aos seus donos, eles entendem bem que a linguagem acontece.

Aprendi que minha avó ficou doente e precisou de morrer.

Por causa de estar muito doente, a avó precisara de morrer para ficar sossegada. Não lhe poderíamos falar, mas ela seria um património dentro de nós, uma recordação que a saberia manter como viva. Meu avô corrigiu: podemos falar com ela, ela vai responder de modo diferente. Sua resposta é a nossa própria ideia.

206

Mães e Filhos

Perguntei se o avô não iria entristecer demasiado. A minha mãe respondeu que sim. Todos sentiríamos uma profunda tristeza. Ele decidiu que teríamos de procurar a felicidade daqueles tempos mais difíceis. Se esperarmos, um dia a tristeza dá lugar à celebração. Íamos aprender a celebrar a avó. Mas nunca esperaríamos quietos. A quietude é uma cerimónia do pensamento, mas logo é fundamental bulir. Fazer qualquer coisa.

Passeávamos a repetir os nomes do que havia no caminho. Como se chamava cada árvore e cada pássaro, como se distinguiam as tantas flores no jardim da nossa vizinha solteira. A vizinha cuidava das flores à espera que o bom perfume lhe trouxesse o amor. Gostávamos muito dela. O meu avô reparava em como ela escolhia sempre pelo coração. Tinha uma inteligência apenas amorosa. Podia dar muito erro para as ciências, mas haveria de garantir-lhe a felicidade quando um rapaz casadoiro a descobrisse.

Não era importante que casasse. Era importante que não estivesse só.

Nesse tempo, meu avô perguntou quais seriam as mais belas coisas do mundo. Eu não soube o que dizer.

Pensei que poderiam ser os filhotes de cão, alguns gatos, o fim do sol, o verão inteiro, o comportamento dos cristais, a muita chuva, a cara das mulheres, o circo, os lobos, as casas com chaminé, o cimo da montanha, a nuvem que vimos igualzinha a um avião, o quadro pintado pendurado na sala, perfeitinho, mesmo que as árvores inclinassem um bocado tortas.

Pensei que as mais belas coisas do mundo haveriam de ser as amarelas e as vermelhas.

Ele sorriu e quis saber se não haviam de ser a amizade, o amor, a honestidade e a generosidade, o ser-se fiel, educado, o ter-se respeito por cada pessoa. Ponderou se o mais belo do mundo não seria fazer-se o que se sabe e pode para que a vida de todos seja melhor.

Pasmei diante do seu conceito de beleza.

Ele incluía os modos de ser, esses ingredientes complexos que compõem a receita do carácter ou da personalidade, a maneira um pouco inexplicável como somos e sentimos.

Cães

Convenci-me de que as mais belas coisas do mundo se punham enquanto profundos e urgentes mistérios. Eram grandemente invisíveis e funcionavam por sinais dúbios que nos poderiam enganar, tantas vezes devido à vergonha ou à dissimulação. O que sentem as pessoas é quase sempre mascarado. Deve ser como colocarem um pano sobre a beleza, para que não se suje ou não se roube, para que não se gaste ou não se canse.

A beleza, compreendi, é substancialmente um atributo do pensamento, aquilo que inteligentemente aprendemos a pensar.

77

A força do pensamento haverá de criar coisas incríveis, científicas, intuitivas, maravilhosas, profundas, necessárias, movedoras, salvadoras, deslumbrantes ou amigas. Pensar é como fazer. Quem só faz e não pensa só faz uma parte.

Para a beleza é imperioso acreditar. Quem não acredita não está preparado para ser melhor do que já é. Até para ver a realidade é importante acreditar. A minha mãe disse que eu virei um sonhador. Para mudar o mundo, sei bem, é preciso sonhar acordado. Apenas os que desistiram guardam o sonho para o tempo de dormir.

Quando cheguei aos dez anos de idade o meu avô precisou de morrer. O meu pai levou-me a passear e a pensar. Fomos pensar. Como se fôssemos dar nomes aos pássaros e às árvores, ver as flores da vizinha e distinguir até a composição das pedras. Mas isso já aprendera e não haveria de esquecer. Eu disse: talvez não tenha aprendido nada porque me custa mudar de conduta, só me apetece chorar, pai.

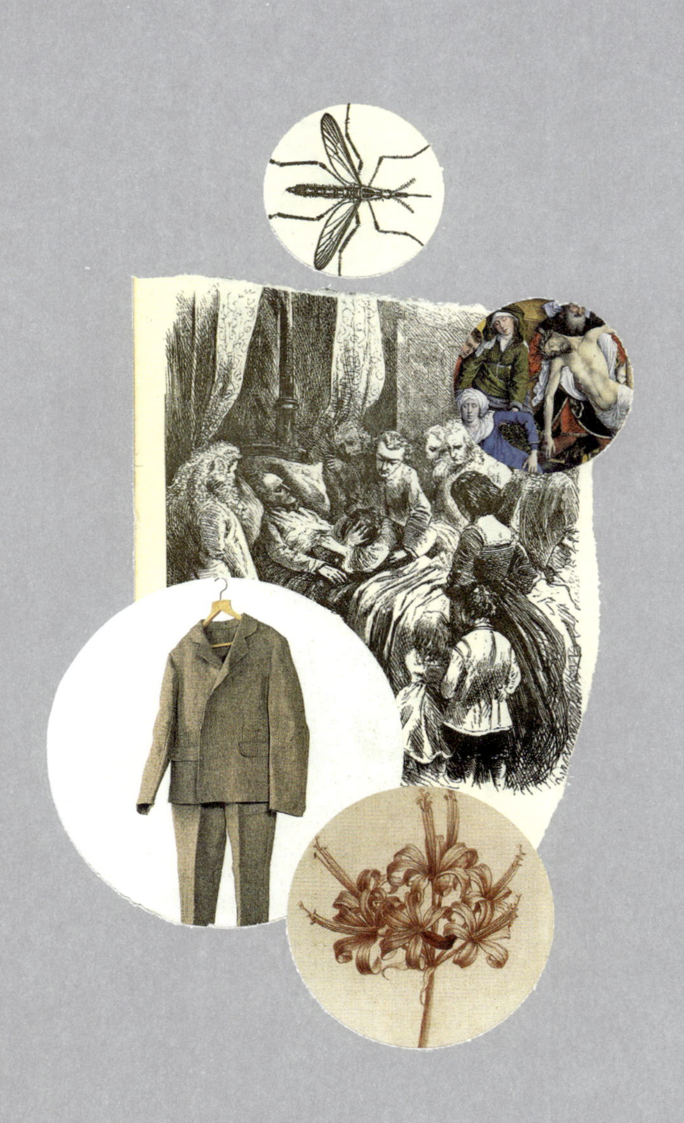

Cadeiras

O meu pai respondeu que o avô estivera sempre feliz comigo, mas envelhecera muito, cansara-se, morrer era só como deixar-se sossegar. Igual à avó.

Eu senti que o seu sossego era do tamanho da nossa solidão.

Depois, acrescentei: há uma felicidade para os tempos difíceis. Sei que é importante seguir à sua procura. Não estou seguro de ter entendido a beleza, mas prestarei atenção com todo o cuidado. Jurei acreditar. Acreditei sempre, mesmo antes de saber o quanto.

Puseram o meu avô debaixo de flores, parecido com a vizinha, com ar de solteiro à espera do amor.

Senti ter ficado do lado de fora do abraço, a casa foi embora num mistério que me deixou temporariamente desabrigado. Eu pensei: fora do abraço do avô.

104

Ceci n'est pas un

Levei desenhos para lhe contar uma história pequena. Desenhei o meu avô passeando, depois, sentado ao pé do riacho e também de braço levantado a tentar servir de árvore para um pintassilgo.

Desenhei o meu avô a ler livros em voz alta e a repetir que a sopa é redonda como o sol e ilumina a nossa fome. Desenhei-nos a rir. E desenhei uma linha que queria dizer amanhã, para haver amanhã.

Eu entendi que o meu avô era como todas as mais belas coisas do mundo juntas numa só. E entendi que fazer-lhe justiça era acreditar que, um dia, alguém poderia reconhecer a sua influência em mim e, talvez, considerar da minha pessoa algo semelhante. Com maior erro ou virtude, eu prometi tentar.

À noite, deito igual a uma semente na almofada húmida do coração. Fico aninhado com a esperança de crescer esplendorosamente por dentro do amor. No verdadeiro amor tudo é para sempre vivo. E sei que, como as pedras, existo pela sede. Quero sempre inventar a vida. Desse modo, tenho a certeza, numa ideia sem fim, eu posso dizer: dentro do abraço. Dentro do abraço do meu avô.

Nota do autor

O meu avô materno, António Alves, mandava que lhe explicasse as coisas mais complexas da vida. Adoentado, vi-o quase sempre acamado, com seu sorriso bom, a cuidar de manter-se quente e sossegado. Para não o desiludir, eu imaginava o que podiam ser os segredos da translação dos astros, da formação do gelo, do trágico e aparentemente incurável de algumas tristezas, da fortuna de amar. Ele perguntava, e eu, com cinco ou seis anos de idade, preocupado, queria encontrar respostas para que ele estivesse feliz. No seu quarto sempre limpo e enfeitado, conversávamos sozinhos para chegarmos a conclusões valiosas.

O meu avô pedia à minha mãe: toma conta deste menino, ele é muito importante. A minha infância ficaria marcada por essa impressão digna de alguém me escutar por tanto tempo, de alguém querer instigar minha curiosidade e se alegrar com a minha imaginação. Eu soube sempre que meu mundo era afectivo. Quero dizer, o que eu sabia era sobretudo gostar de alguém. Era o que o meu avô valorizava em mim, o empenho colocado em gostar de alguém. Toda a sabedoria devia resultar na pura capacidade de amar e cuidar de alguém.

V.H.M.

VALTER HUGO MÃE é um dos mais destacados autores portugueses da atualidade. Sua obra está traduzida em muitas línguas, tendo um prestigiado acolhimento em países como Alemanha, Espanha, França e Croácia. Publicou os romances *o remorso de baltazar serapião* (Prêmio Literário José Saramago), *o apocalipse dos trabalhadores*, *a máquina de fazer espanhóis* (Grande Prêmio Portugal Telecom de Melhor Livro do Ano e Prêmio Portugal Telecom de Melhor Romance do Ano), *O filho de mil homens*, *A desumanização*, *Homens imprudentemente poéticos* e *o nosso reino*. Escreveu livros para todas as idades, entre os quais: *O paraíso são os outros*, *As mais belas coisas do mundo* e *Contos de cães e maus lobos*. Seus livros são publicados no Brasil pela Biblioteca Azul. Sua poesia foi reunida no volume *Publicação da mortalidade*. Outras informações sobre o autor podem ser encontradas em sua página oficial no Facebook.

Este livro, composto na fonte Silva,
foi impresso em papel Offset 150 g/m², na Geográfica.
São Paulo, Brasil, dezembro de 2024.